W. A. Mozart

GW00758597

Universal
Querflöten
Edition

Herausgeber:
Gerhard Braun

Die Zauberflöte
für zwei Flöten
nach einer Ausgabe von 1792

herausgegeben von Gerhard Braun

Universal
Flute
Edition

Editor:
Gerhard Braun

The Magic Flute
for Two Flutes
from an edition of 1792

edited by Gerhard Braun

Universal Edition UE 15966

ISMN M-008-00475-9
UPC 8-03452-00484-4
ISBN 3-7024-0717-0

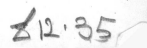

£12.85

*) aus dem Finale des 1. Aktes / out of the 1st act, finale / du finale du 1er acte

Vorwort

Bearbeitungen bekannter Opernmelodien (Arien, Ensembles und Tänze), ja selbst ganzer Opern für zwei Flöten (oder Violinen) haben sich in der zweiten Hälfte des 18. Jahrhunderts und bis weit ins 19. Jahrhundert hinein großer Beliebtheit erfreut. Solche Transkriptionen wurden häufig gleich von den Komponisten selbst arrangiert, oder Schüler und Zeitgenossen übernahmen diese Aufgabe.

Für die *Zauberflöte* von W. A. Mozart weist das Köchel-Verzeichnis gleich vier verschiedene Flötenbearbeitungen nach.

Grundlage der vorliegenden Ausgabe bildet ein Druck aus dem Jahre 1792 mit dem Titel

Die Zauberflöte

arrangé pour Deux Violons ou Deux Flutes

par Mr. Mozard

Maience B. Schott (Pl.Nr. 181)

Stimmen 11/11 S. fol. (im Besitz des Herausgebers).

Dieser Druck blieb den Ausgaben des Köchel-Verzeichnisses unbekannt. Die Edition ist identisch mit der zur selben Zeit bei Hummel erschienenen Fassung „par l'Autheur".

Zahlreiche Ungenauigkeiten, insbesondere im Hinblick auf gleichlautende Artikulationen, wurden stillschweigend verbessert.

Stuttgart, Mai 1975   Gerhard Braun

Preface

Arrangements for two flutes or violins of familiar opera melodies (arias, ensembles, dances) and even whole operas were extremely popular from the latter half of the 18th century until far into the 19th. Many of these transcriptions were made by the composers themselves, others by their pupils or contemporaries. The Köchel Catalogue mentions four different arrangements of the *Magic Flute* for two flutes. The present edition is based on an edition of 1792 entitled

Die Zauberflöte

arrangé pour Deux Violons ou Deux Flutes

par Mr. Mozard

Maience B. Schott (Pl.No. 181)

Parts 11/11 pp. fol. (owned by the editor).

This publication is not listed in any edition of the Köchel Catalogue. This edition is identical with the version published by Hummel at the same time, entitled "par l'Autheur".

A large number of inaccuracies, especially with regard to agreement between the two instruments in articulation, have been tacitly corrected.

Suttgart, May 1975   Gerhard Braun

Préface

Les arrangements pour deux flûtes (ou violons) de mélodies d'opéras célèbres (arias, ensembles et danses), voire d'operas entiers, ont joui depuis la deuxième moitié du XVIIIe siècle d'une grande popularité qui s'est prolongée loin dans le XIXe siècle. De telles transcriptions ont souvent été arrangées par les compositeurs mêmes, ou bien des disciples ou contemporains s'en sont chargés. Pour la *Flûte enchantée* de W. A. Mozart nous trouvons dans le Catalogue Koechel quatre adaptations pour flûtes.

La présente publication se réfère à une édition de l'année 1792, intitulée

Die Zauberflöte

arrangé pour Deux Violons ou Deux Flutes

par Mr. Mozard

Maience B. Schott (No. de pl. 181)

Parties 11/11 p. fol. (en la propriété de l'éditeur).

Celle-ci ne figure pas dans les éditions du Catalogue Koechel. Elle est identique avec la version "par l'Autheur" parue simultanément chez Hummel.

De nombreuses imprécisions, surtout au niveau des articulations, ont été corrigées tacitement.

Stuttgart, mai 1975   Gerhard Braun

No.1 Der Vogelfänger bin ich ja

W. A. Mozart
(1756 - 1791)

Universal Edition No.: 15966

4

No.2 Dies Bildnis ist bezaubernd schön

6

No.3 Du feines Täubchen, nur herein

8

No.4 Bei Männern, welche Liebe fühlen

10

Aus dem Finale des I. Aktes

No.5 Zum Ziele führt dich diese Bahn

Larghetto

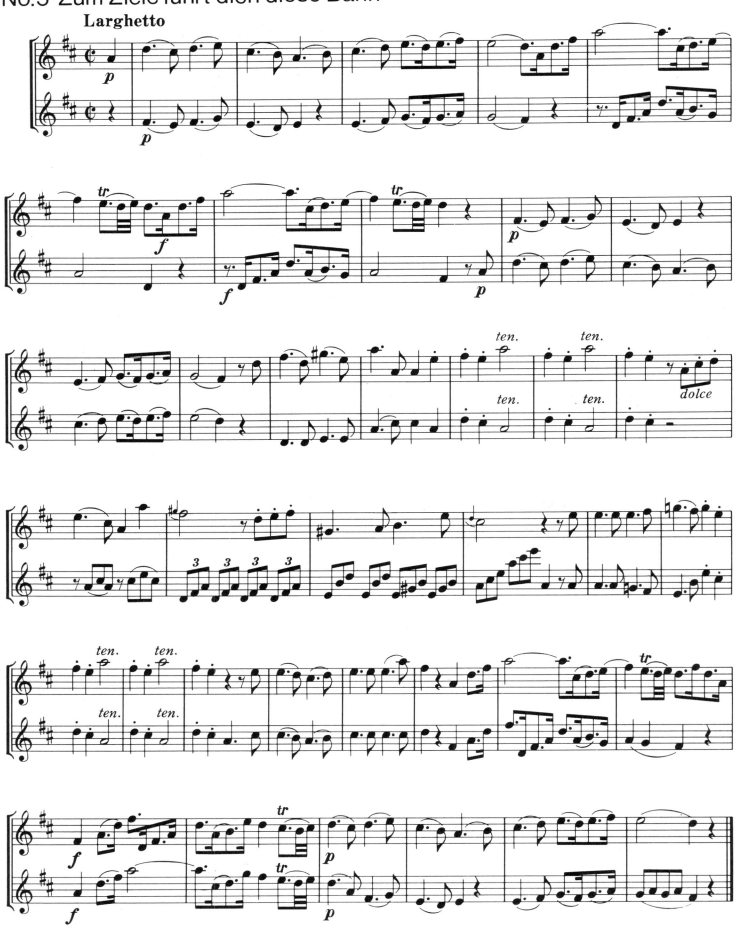

Aus dem Finale des I. Aktes

No.6 Wie stark ist nicht dein Zauberton

12

Aus dem Finale des I. Aktes

No.7 Das klinget so herrlich

14

No.8 Bewahret euch vor Weibertücken

No.9 Alles fühlt der Liebe Freuden

No. 10 In diesen heil'gen Hallen

Larghetto

No.11 Marsch der Priester

No.12 O Isis und Osiris

No.13 Der Hölle Rache kocht in meinem Herzen

24

No.14 Seid uns zum zweiten Mal willkommen

No.15 Ach, ich fühl's, es ist verschwunden

Andante

No.16 Soll ich dich, Teurer, nicht mehr seh'n

Andante moderato

No.17 Ein Mädchen oder Weibchen